ANNABEL LEE

À Bernard, mon père, merci

© 1987, Gilles Thibault, illustrations
Publié au Canada par Livres Toundra, Montréal, Québec H3G 1R4   Publié aux États-Unis par Tundra Books of Northern New York, Plattsburgh, NY 12901
Distribué en France, en Belgique et en Suisse par Liaison Internationale

Données de catalogage avant publication (Canada): Poe, Edgar Allan, 1809-1849. Annabel Lee. Traduction de: Annabel Lee. ISBN 0-88776-203-4. I. Mallarmé, Stéphane, 1842-1898. II. Tibo, Gilles, 1951-   III. Titre. PS2606.A45 1987 811'.3 C87-090099-4

Pour la compilation et l'édition du présent volume, Livres Toundra a puisé des fonds dans la subvention globale que le Conseil des Arts leur a accordée pour l'année 1987.

Séparations des couleurs et imprimerie: Prolith inc., Montréal   Imprimé au Canada

ANNABEL LEE

Poème: Edgar Allan Poe

Traduction française: Stéphane Mallarmé

Illustrations: Gilles Tibo

Livres Toundra

Il y a mainte et mainte année,
Dans un royaume près de la mer,

Vivait une jeune fille, que vous pouvez connaître
Par son nom d'Annabel Lee,

Et cette jeune fille ne vivait avec aucune autre pensée
Que d'aimer et d'être aimée de moi.

J'étais un enfant, et *elle* était un enfant,
Dans ce royaume près de la mer;

Mais nous nous aimions d'un amour
  qui était plus que de l'amour —
Moi et mon Annabel Lee;
D'un amour que les séraphins ailés des Cieux
Convoitaient à elle et à moi.

Et ce fut la raison qu'il y a longtemps —
Dans ce royaume près de la mer,
Un vent souffla d'un nuage,
Glaçant ma belle Annabel Lee;

De sorte que ses proches de haute lignée vinrent
Et me l'enlevèrent,
Pour l'enfermer dans un sépulcre,
En ce royaume près de la mer.

Les anges, pas à moitié si heureux aux cieux,
Vinrent, nous enviant, elle et moi.
Oui! ce fut la raison (comme tous les hommes le savent
Dans ce royaume près de la mer)
Pourquoi le vent sortit du nuage la nuit,
Glaçant et tuant mon Annabel Lee.

Mais, pour notre amour,
   il était plus fort de tout un monde
Que l'amour de ceux plus âgés que nous; —
De plusieurs de tout un monde plus sages que nous, —
Et ni les anges là-haut dans les cieux,
Ni les démons sous la mer,
Ne peuvent jamais disjoindre mon âme de l'âme
De la très belle Annabel Lee.

Car la lune jamais ne rayonne sans m'apporter des songes
De la belle Annabel Lee;
Et les étoiles jamais ne se lèvent
   que je ne sente les yeux brillants
De la belle Annabel Lee;

Et ainsi, toute l'heure de nuit, je repose à côté

De ma chérie, — de ma chérie, — ma vie et mon épouse,

Dans ce sépulcre près de la mer,

Dans sa tombe près de la bruyante mer.

Annabel Lee

It was many and many a year ago,
  In a kingdom by the sea
That a maiden there lived, whom you may know
  By the name of Annabel Lee;
And this maiden she lived with no other thought
  Than to love and be loved by me.

I was a child and *she* was a child,
  In this kingdom by the sea,
But we loved with a love that was more than love —
  I and my Annabel Lee —
With a love that the winged seraphs of heaven
  Coveted her and me.

And this was the reason that, long ago,
  In this kingdom by the sea,
A wind blew out of a cloud, chilling
  My beautiful Annabel Lee;
So that her highborn kinsmen came
  And bore her away from me,
To shut her up in a sepulcher
  In this kingdom by the sea.

The angels, not half so happy in heaven,
  Went envying her and me —
Yes! — that was the reason (as all men know,
  In this kingdom by the sea)
That the wind came out of the cloud by night,
  Chilling and killing my Annabel Lee.

But our love it was stronger by far than the love
  Of those who were older than we —
  Of many far wiser than we —
And neither the angels in heaven above,
  Nor the demons down under the sea,
Can ever dissever my soul from the soul
  Of the beautiful Annabel Lee:

For the moon never beams, without bringing me dreams
  Of the beautiful Annabel Lee;
And the stars never rise, but I feel the bright eyes
  Of the beautiful Annabel Lee:
And so, all the night-tide, I lie down by the side
Of my darling — my darling — my life and my bride,
  In the sepulcher there by the sea —
  In her tomb by the sounding sea.